à Francis

ISBN 2-86234-343-9
Ce livre a été publié avec le concours de NSM Vie,
compagnie d'assurance du groupe ABN AMRO en France

Texte de PATRICK ROEGIERS

L'AVENTURE GÉNÉRALE

MARVAL

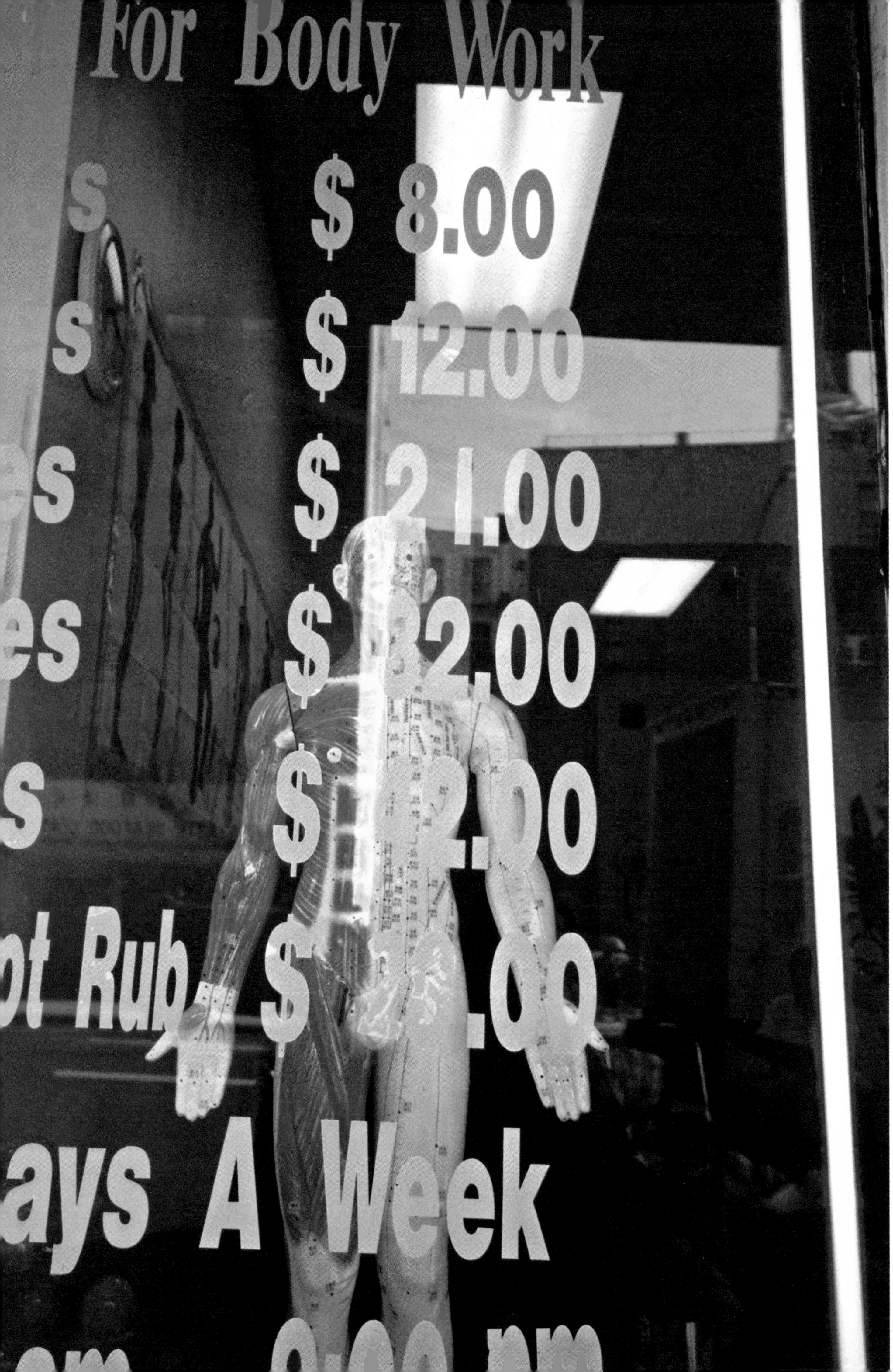
For Body Work
$ 8.00
$ 12.00
$ 21.00
ot Rub
ays A Week

L'AVENTURE GÉNÉRALE

Il faut être nomade, traverser les idées
comme on traverse les pays et les villes.
FRANCIS PICABIA

Tout commence.

On ne voit personne nulle part.

Rien ne bouge

L'air est pesant.

La cité se réveille.

Chez elle, au huitième étage d'un immeuble dont on devrait ravaler la façade, une femme de 26 ans, vêtue d'un chemisier plusieurs fois reteint, est assise à une table devant un verre de whisky. Elle feuillette le magazine *Votre Beauté*.

Dans une chambre d'hôtel, au lit recouvert d'un drap et d'un oreiller blanc, avec une commode, une femme de 58 ans se réveille et dit : "Je suis fatiguée des cauchemars."

Au premier étage d'un immeuble, à front de boulevard, non localisé géographiquement, une femme sans âge, en robe de chambre, aux cheveux gris défaits, apparue dans l'encadrement d'une fenêtre, tire et ouvre alternativement les rideaux.

Dans une autre chambre d'hôtel, une femme entre deux âges, aux cheveux noirs, la tête penchée en avant, assise dans un fauteuil, ouvre son journal. Un doigt tombe à ses pieds. Elle le ramasse, chausse ses lunettes pour voir et se met à hurler.

Un avion passe dans le ciel.

Une pierre vole d'un toit.

La journée s'annonce belle.

Sorti pour faire un tour d'un haut immeuble à la façade sombre, sans le moindre sentiment du lieu où il se trouve, un homme en costume de Tergal bleu aviateur se met en route sans but précis, en ne privilégiant aucune direction. Voit-il la femme seule à la fenêtre qui regarde passer les passants ?

Où va-t-il ? Qui le sait ? Quel est son plan ?

Il n'a que partiellement conscience de la direction dans laquelle il s'engage, mais ne s'en soucie pas pour le moment.

"L'essentiel, se dit-il, *c'est ce qu'on apprend en chemin."*

Peu à peu les rues se remplissent.
Les banques ouvrent leurs portes ;
les employés se rendent à leur travail.
Un homme se fait cirer les chaussures ;
d'autres achètent les journaux.
Le soleil ne projette aucune ombre.

On entend un aboiement bref.

Allongée sur le lit, dans la chambre d'hôtel,
la femme au doigt coupé pleure sans arrêt.
Assise à côté du radiateur, devant un mur,
la femme aux cauchemars met sa culotte.
La femme au whisky commence à boire.

La vie s'écoule.

Les gens se croisent,
se frôlent,
s'évitent.

L'espace ne bouge pas pour tous à la même vitesse

Des gens marchent. D'autres s'arrêtent.

Chacun le rythme de ses pas.

Un passant s'arrête plus ou moins longuement, se tourne vers l'arrière et repart en avant.

Le seul élément de suspense est la progression de chacun.

Un vieil homme se dévisage dans une vitrine.
Un homme, habillé d'un costume d'été gris,
se racle la gorge et crache par terre.
Un autre remonte le col de sa veste.
Un homme, aux vilaines dents, allume
une cigarette et la jette aussitôt.
Il en allume une autre qu'il jette également.

Quelque chose va de travers, mais quoi ?

Il n'existe pas de façon simple d'aller d'un point à un autre de la périphérie. Si l'on ne sait où on va, on ne sait où l'on est. *"Je vais à l'endroit où je ne suis pas"*, pense l'homme en costume Tergal bleu qui s'oriente vers l'extrême périphérie. *"Je vois jusqu'où je vais, je n'y suis pas encore"*, marmonne-t-il, en accélérant le pas. À un "block" de distance vers le nord, défilent dans l'ordre devant un grand édifice de briques rouges et de grès brun, marqué d'un côté par une célèbre boutique pour gaucher, où l'on vend des calepins avec la reliure spirale à droite et, de l'autre, un magasin avec des fleurs gonflables :

Un métèque en costume blanc, avec des chaussures noires cirées, qui commence à perdre ses cheveux.

Une grande bringue maigre, avec des cheveux gris, au faciès osseux, à l'allure de girafe, en robe de tulle bleu ciel.

Une ménagère, aux tifs en papillotes, dans une affreuse robe de coton rose toute froissée avec trois sacs J.

Un célibataire bedonnant très essoufflé, en pantalon noir à la taille extra-large et tee-shirt, style Oliver Hardy.

Un cinquantenaire avec des lunettes à bord d'éosine et une moustache fine, les cheveux plaqués en arrière, en costume de polyester, qui souffre de flatulences.

Un PDG aux cheveux mi-longs, lunettes à monture dorée, et veste de tweed clair, qui a une double colonne vertébrale.

Une vieille fille avec des yeux vert d'eau, un pantalon serré et souliers plats, qui a une sœur qui aime manger de la craie.

Un chômeur de quarante ans, au nez épaté, avec une chemise rayée et un veston flottant, qui a une corde vocale paralysée.

Un jeune homme, blanc navet, avec un foulard autour du cou, qui lit toujours deux livres en même temps.

Un retraité d'une soixantaine d'années, au teint cireux, aux traits imperméables, qui détient une collection de six cents cravates.

Un type, au cou plissé comme un cerveau, qui raffole des bonbons aux framboises et vit à Beacon, près de New York.

Une jeune femme aux longs cheveux blonds, avec son sac rempli de bouteilles de whisky et de pâtes alimentaires, dont le mari est commissaire à la santé pour la ville de New York.

Une pin-up, en tailleur gris, gants blancs, sac à main foncé à l'épaule, dont le mari est Inspecteur des Bâtiments publics et membre de la ligue contre les kidnappeurs de chiens et matous.

Un bougre, d'une cinquantaine d'années, au teint jaune, presque totalement dénué de cou, vêtu d'un blouson à tirette, membre du Comité de défense de l'honneur des écureuils.

Un bonhomme de petite taille, au front hideusement aplati, dur d'oreille, qui porte deux audiophones dépareillés comme ses chaussettes, qui possède toute une gamme d'appareils, et qui baisse le son de sa prothèse pour s'isoler quand on l'embête.

Un citoyen émacié, aux lèvres minces, très maigre, avec des baskets roses, mais aux organes génitaux normaux.

Un zigue d'allure raide, une tonsure au sommet du crâne, avec un blouson de faux cuir, qui est représentant en buvards.

Un colosse surmonté d'une tête de poussin, qui se palpe le zigouigoui et a deux paires de lunettes l'une sur l'autre.

Une dame au visage fardé, aux cheveux levés en chignon, à l'air plutôt hagard, qui ne saura jamais le fin mot de l'histoire.

La femme aux cauchemars, d'une cinquantaine d'années,
pleure doucement en lisant un roman-photo.
La femme au doigt coupé, restée un moment en slip
et soutien-gorge, enfile sa robe de chambre.
La femme, qui regarde par la fenêtre, voit qu'il
fait assez chaud pour accrocher du linge dehors.
La femme de 26 ans, au chemisier plusieurs fois reteint,
se coiffe avec des gestes lents. Que pense-t-elle ?

La vie normale suit son cours.
Un avion qui va atterrir fend le ciel.
Impossible d'établir les itinéraires de chacun dans la ville.

"Voir venir les choses est le meilleur moyen de les expliquer", pense la femme de 26 ans, attablée devant un verre de whisky.

Chacun fait de sa propre existence une aventure particulière, une somme de petites choses, le paroxysme du détail.

– une tache de cendre sur un veston.

– un chien qui ravale ses vomissements.

– une éclaboussure de boue séchée.

– un reflet de lumière sur un ongle.

– un petit bouton sur une paupière.

– une verrue sur la tempe d'un quidam.

– un abcès sur la nuque d'un passant. Le regarde-t-on trop fixement ? L'abcès s'ouvre.

Chaque être croisé provoque le choc qu'on ressent lorsqu'on rencontre une personne inconnue que nous croyons avoir déjà vue sans savoir où et quand sinon dans une ville inconnue.

"Les choses ne sont pas forcément ce qu'elles ont l'air d'être. Ce que l'on voit, c'est le regard qui l'invente. Quand quelqu'un dans la rue se regarde, il ne se voit jamais d'un œil comparable à celui qui est posé sur lui, mais d'un autre œil. Comment se voir soi-même à travers les yeux des autres ?", s'interroge un homme d'âge moyen, cravate bien nouée, chemise blanche et costume de coupe classique comme un personnage de F. Bacon.

Et voilà justement qu'il aperçoit Francis Bacon en personne, en arrêt devant une boucherie, dont il examine les vitrines d'un regard fixe et résigné. Comment croire à une simple coïncidence ? En veste de cuir noir, et pantalon serré aux chevilles, le célèbre peintre fume exceptionnellement une cigarette et la teinture de ses cheveux acajou fond sur son visage car il a utilisé son cirage à chaussures pour paraître plus jeune tout comme à une époque de sa vie il se brosse les dents avec du Vim. La vie de Bacon est trop connue pour qu'on en reprenne ici les détails mais rappelons tout de même qu'il a été :

– chassé de la maison à 16 ans pour avoir essayé la lingerie de sa mère.

– réformé à la guerre pour cause d'asthme qui le handicape.

– violé et initié à l'homosexualité par les palefreniers et garçons d'écurie de son père, entraîneur de chevaux de course.

mais aussi qu'il :

– est allergique aux chiens.

– possède un manuel qui décrit les pathologies de la bouche.

– travaille de 6 heures à midi, de manière régulière, malgré les excès de sa vie et voue ses après-midi à la déambulation.

– aménage en 1961 son atelier dans d'anciennes écuries.

– ramasse sur le sol la poussière avec laquelle il peint le costume de certains de ses personnages comme Eric Hall.

—- "Êtes-vous Francis Bacon ?", lui demande-t-il à l'instant où une mouche à viande se pose sur sa main que le peintre, à la bouche trouée, aux yeux lovés dans les orbites, détaille sans répugnance. Et, pour se convaincre de sa présence, il ajoute :

—- J'aime vos tableaux !

Bacon le regarde dans les yeux et lâche :

—- Je n'ai jamais entendu dire que quelqu'un avait des tableaux de moi parce qu'il les aimait.

Et il tourne les talons tandis que les charcutiers et les étaliers s'esclaffent de l'avoir vu s'arrêter devant leur étalage.

L'homme habillé en costume de coupe classique comme un personnage de Bacon regarde ses pieds couverts de poussière.

Puis, il se dit que ce n'était peut-être pas lui.

Il en est même sûr.

Celui qui fut le peintre le plus cher du monde est, en effet, décédé à Madrid, le matin du 28 avril 1992, à 82 ans, d'une crise cardiaque.

L'homme au costume de Tergal bleu marche comme s'il savait où il va. Sans penser ni réfléchir, il avance et se repère aux édifices publics. Il s'étonne de voir la ville s'étendre toujours, les rues se joindre aux rues. Depuis son point de départ, il a souvent pris à droite, puis a tourné à gauche, etc.

Suivant une large avenue, il a depuis longtemps dépassé le quartier chic qui abrite des boutiques de luxes et des galeries de peinture comme celle de Serge Aboukrat, ainsi que les principaux établissements d'affaires de la ville, l'Institut d'Embryologie, le musée d'Art et d'Histoire, et débouche sur une allée transversale composée de rangées d'immeubles dont seules les pièces donnant sur la rue reçoivent la clarté du jour.

Il pense : *"Ce n'est pas la bonne voie."*

Se mord la langue.

"Qu'est-ce que je vais faire ?"

Et s'empresse de repartir d'un pas accéléré.

"Cette ville a sa beauté", se dit-il.

Un gaillard frotte son visage avec sa main aux doigts écartés.

Un gros myope se penche pour observer le sol comme un ramasseur de petit pois, dans l'attitude du savant qui teste une formule inédite, ou d'un chercheur qui épie au microscope les microbes et les bactéries recélés dans une simple goutte d'eau.

— Y a-t-il quelqu'un de plus utile que moi ?, s'enquiert-il.

Un curieux se voit dans la glace et s'interroge :

— *"Suis-je réellement comme cela ?"*

Tout se passe dans la tête.

Comment cerner la relation de ces individus ?

Comment imaginer leur existence ?

Dans leur regard, on lit leurs pensées. En les voyant passer, certains disent : "Trouve-moi une femme." D'autres : "Rien ne me fait sourire." Ou encore : "Qu'est-ce que tu viens faire ici ? Tu vois bien qu'il n'y a que des rats." Mais aussi : "Suis-je maniaque ?" Ou : "Ma maîtresse m'est-elle fidèle ?" Et encore : "J'ai un corps en caoutchouc." Mais également : "On ne sait qui je suis !" Ou alors : "Ôte-toi de là, cède le passage, espèce d'imbécile !" Et même : "Sais-je marcher à reculons ?" Ou, enfin : "Pourquoi sommes-nous normaux ? Pourquoi sommes-nous à la fois si semblables et à ce point différents ?" Et un dernier : "Pourquoi des gens uniques, tous distincts de corps et d'esprit, ont-ils besoin de porter la même paire de chaussure ?"

On ne sait jamais à quoi ils pensent.

Tout est écrit sur leurs visages : la peur de vieillir, l'impossibilité de vivre ensemble, la folie d'être séparés.

Que sait-on de ces choses ? Qu'y faire ? Et qu'en dire ? À quoi ressemblent ces personnages ? D'où viennent-ils ? Quelle est leur histoire ? Et où passent-ils ? Qui, dans cette ville, serait capable de les appeler seulement par leur nom, ou d'empoigner l'un d'eux, et de lui dire, en le tenant par la manche :

— Je ne vous connais pas, mais vous serez toujours pareil.

Il est midi.

En passant devant un snack, avec ses étals de charcuterie, ses tonneaux de piments gorgés de saumure, ses plateaux de foies hachés et d'œufs pilés, de harengs secs, de chèvres salées, de requins faisandés, de rennes en sauce, de baleine bouillie, ainsi que de corned-beef et pastrami, l'homme au complet gris, qui ressemble à un personnage de Bacon pour lequel il éprouve une telle admiration qu'il a cru le rencontrer, s'arrête juste le temps de prendre une bière claire et un sandwich.

Rencogné dans un coin, un client absorbé dans sa lecture, qui préfère les places qui protègent le dos, aspire bruyamment son potage aux cornichons en donnant l'impression qu'il vomit.

Nonchalamment accoudé au bar, derrière un faisceau de pailles plantées dans un gobelet de plastique posé à l'avant du comptoir, un businessman assis sur un tabouret métallique, avec une pile de plaques de chewing-gum, boit de l'eau ; il rejette la tête en arrière, avale une gorgée, puis pose le verre, le fait tourner deux fois, et répète le geste à chaque gorgée.

À côté d'une table couverte de beignets, un manœuvre puissamment bâti, au visage congestionné, assis devant une platée de spaghettis rouges, se gratte le cou et s'essuie la bouche avec une serviette blanche remplie de traces pourpres.

En tapotant d'une main sur la table, le visage enfoui, l'autre main cachant son regard, un bimane chauve, sans âge, au col souillé par la sueur, aux ongles visiblement sales, absorbe un étrange breuvage entre le chocolat et le jus de viande.

Avec l'avidité d'une mante religieuse devant une sauterelle, un petit bougre courtaud, au visage rond comme de la gelée ou du pudding, sans rides, s'engraisse comme une oie et se régale de cervelle bouillie ou de noix de veau qu'il mange comme un cochon en grognant et en faisant du bruit avec la bouche.

Le nez dans son assiette, se croyant inobservé, un ours à la peau grasse et séborrhéique, qui transpire abondamment et est fabricant d'implants de silicone, lorgne le steak qu'il a commandé. Après avoir digéré chaque bouchée mangeable, il chipote la nourriture du bout de sa fourchette comme s'il se livrait à une opération chirurgicale d'une extrême finesse. Il s'acharne sur un petit morceau de viande nerveuse ou trop cuite qu'il finit par recracher, après l'avoir longtemps mâché. Il tire de sa bouche l'aliment nervin qu'il ne peut avaler et le remet dans son assiette. Il range ses couverts sur le porte-couteau, desserre sa ceinture, brosse une tache de poudre sur son veston, et avec un cure-dents dans la joue, d'une voix caressante, s'adresse au personnage de Bacon en lui soufflant :

— Je me dégoûte tant que je souhaiterais oublier que j'existe !

L'homme au complet gris mord dans son hot-dog à pleines dents, paie et quitte le MARVAL'S pour retrouver la ville où chacun s'active de plus belle et met les bouchées doubles.

Un inconnu pressé sort d'un restaurant à la marquise bleue.

Une jeune femme déchaussée est couchée dans une voiture.

Un vieil homme regarde un magasin de perruques.

Un individu sans personnalité tète un cigare bon marché.

Une avocate bien roulée qui porte des chaussures sans talon, marche très vite et sautille une fois toutes les cinq enjambées.

"La robe de cette femme est-elle rouge ?", se demande un Manhattanien pressé qui fouille dans la poche de son pantalon.

Deux particuliers en costume sombre portant des chapeaux clairs se croisent devant une Chevrolet blanche aux vitres fumées. Aucun des deux n'est plus grand que l'autre.

— Comment ça va ?

— Très bien, répond le second au premier dont la santé ne l'intéresse pas.

À côté d'un fourgon gris grillagé, un inconnu sans allure pisse dans une boîte de conserve, posée à côté d'un transistor.

Il y a un passager assis sur le siège arrière d'un taxi et, en le regardant, l'homme au complet gris, qui croit ressembler à un personnage de Bacon, se demande s'il est mort ou vivant :

— Peut-être dort-il derrière ses lunettes noires ?

Un jeune homme aux cheveux coupés ras comme Ronaldo, vêtu d'une chemise hawaïenne, aux manches retroussées, d'un pantalon kaki et chaussé de hautes bottes militaires, perché sur un échafaudage en aluminium, change les lettres géantes de la devanture d'un cinéma où on projette *ÉCLIPSE* et devant l'entrée duquel deux spectateurs gantés de pécari, sans chapeau, discutent avec animation, sans faire le moindre geste.

C'est le fils de la femme en robe de chambre, aux cheveux gris et défaits, apparue dans l'embrasure de la fenêtre au début du récit, qui tire et rouvre alternativement les rideaux.

Comme quelqu'un qui s'intéresse aux physionomies et différents comportements, l'homme au complet gris qui longe un bâtiment vide, avec de hautes fenêtres, encadrées de métal, qui est une ancienne fabrique d'aspirateurs ou de ressorts de boîtes à poudre, décide de prêter attention aux gens qui viennent à sa rencontre. Il remarque ainsi successivement un bipède en costume marron qui le fusille du regard comme Montézuma, sortant de Mexico, qui faisait exécuter le passant téméraire dont il croisait le regard ; une jolie rousse, au faciès inexpressif, qui lui jette un défi rageur dont il a du mal à déterminer la raison mais qui détourne la tête à l'instant où elle passe à côté de lui ; enfin un gigolo vêtu d'un complet d'été de bonne coupe qui jette des regards inquiets autour de lui et se retourne tous les dix mètres environ comme s'il était suivi.

Comme les gens qui ont horreur de sentir des ombres les poursuivre, en passant devant la terrasse du MARAT'S BAR, il ressent le malaise que l'on éprouve à marcher devant des gens assis et décide de s'asseoir à son tour. Repère un Noir en trois pièces Prince de Galles et nœud papillon, qui tapote de l'ongle dans une posture maniérée. Une main resserre un nœud de cravate. Mais ne voit pas les traits d'un anonyme derrière son journal. Des bribes de conversation lui viennent aux oreilles.

— *Je voudrais cesser d'être comme je suis. J'aimerais être normale et je suis anormale.*

— *Je suis une femme comme les autres, je crois que toutes les femmes sont des garces. Je suis une ordure, je suis une morue.*

— *Nous sommes ce que nos actes nous font.*

— *Je suis à côté des modes.*

— *Il m'arrive parfois d'avoir envie de tuer quelqu'un, sans raison particulière, comme tout le monde.*

Avec une gêne égale à celle qu'on perçoit lorsqu'on se retrouve à côté de personnes inconnues dans un ascenseur qui monte lentement, dans la salle d'attente d'un urologue ou d'un dentiste, il observe dans un périmètre d'une dizaine de mètres les citadins les plus singuliers entrant dans son champ de vision dont un avec une épingle à nourrice d'un mètre de long, un autre tenant un bâton avec au bout une carotte, un troisième portant un écriteau où on lit en lettres majuscules :

"TUE TOUT CE QUI EST EN TRAVERS DE TA ROUTE."

Il se dit : "On a beau étudier deux cents ou trois cents personnes, on peine à trouver quelque chose à retenir d'une seule d'entre elles." Il décide de porter alors son attention sur le volumineux serveur, au ventre gravide, qui ondule entre les tables, tournoyant comme un unijambiste, délivrant des cocktails et des boissons américaines, nullement gêné par la façon dont les gens le regardent, habitué de vivre en public sous l'œil des autres. Il se souvient de l'histoire qu'on lui a racontée d'un garçon de café qui pesait 180 kg, au ventre gonflé comme une outre, qui lampait, paraît-il, plus de trente à cinquante bières par jour, et qui a littéralement explosé durant son service. Comme si une minuscule valve se débouchait soudain à hauteur du nombril qui sauta tel un bouchon, laissant fuir la substance vitale, sorte de purée fluide, regrat de tripes éclatées, l'estomac répandu parmi les tables, arrosant les clients de nerfs, de chair et de peau comme s'il s'agissait de mousse fraîche.

Quittant le DOLORÈS'CAFÉ, il se remet en route, épiant l'inclinaison du talon pour enjamber un caniveau, le détour pour esquiver un excrément canin, l'écart pour éviter de frôler un passant. Pas de temps pour réfléchir. Le temps presse.

Chacun marié avec lui-même.

Chacun pris dans le cercle de ses préoccupations.

Tous incroyablement éloignés les uns des autres.

Derrière la graisse, la sueur, la saleté.

Dégradé d'immeubles de plus en plus bas. Entrepôts à façade de fonte. Anciens hangars de mécanique. Amas de chiffons, d'os puants et de papiers gras. NY n'est pas une ville attrayante.

"C'est au sommet que tout se passe", pense-t-il tout bas.

Accoté à un container argenté, sans se soucier des piétons qui se retournent, un jeune couple s'embrasse fougueusement.

Elle : blazer à carreaux.

Lui : veste bistre.

Affaissement de têtes, aplatissement des épidermes, chevauchement de viandes, emboîtement des parties molles, liquéfaction de la chair, contraction de la gorge, écrasement des figures, grouillement des organes sous l'ordre apparent des vêtements. Contacts muqueux, pointes des langues qui se sucent et s'explorent, pressions mutuelles des lèvres, gestes machinaux des bouches qui s'activent, jusqu'à ce que l'identité disparaisse. Le poitrail du jeune homme pèse de tout son poids sur la poitrine de la jeune femme. Son nez s'écrase sur sa joue. Plaquée par celle du mâle, la face de la femelle est défigurée.

L'homme au complet d'été de bonne coupe s'éloigne à pas prestes. Il pense : *"Ce dont j'aurais envie, plus que tout au monde, ce serait d'être regardé au moins une fois dans ma vie par quelqu'un comme ils l'ont été durant un moment par moi."*

Et le play-boy, qui est le fils de la femme au whisky, pense :

— Un baiser humide est meilleur qu'un coït précipité.

Après l'étreinte, la minette remet de l'ordre dans sa mise.

Une petite fille, à l'écart, les envie.

L'homme au complet de Tergal bleu se rend compte qu'il traverse la ville sans laisser de traces. Il s'arrête ça et là pour étudier le parcours. "Qu'est-ce que je fais ici ?", s'interroge-t-il, en voyant qu'il marche dans une zone intermédiaire, occupée par des immeubles d'habitation bon marché. "Je suis chez moi quand je suis ailleurs", songe-t-il, en réalisant qu'à force d'évoluer des quartiers du centre aux quartiers limitrophes, obliquant une fois à gauche, et puis souvent à droite, il est arrivé par des détours sans nombre à l'endroit le plus éloigné du lieu où il avait résolu d'arriver. "Je suis là", se dit-il, en voyant les maisons de briques d'aspect peu engageant, enlaidies par des détritus devant leurs portes. En effet, il est là. L'isolement l'inquiète et il se demande un bref instant s'il n'aurait pas perdu le sens de l'orientation. Il sort de la poche intérieure de sa veste une carte qu'il déplie, à partir de laquelle il établit son itinéraire, évaluant d'un coup d'œil le lieu où il va, repère les incalculables écarts accomplis pour parvenir où il se tient. "Je suis ici", dit-il, en portant son regard sur la carte qui soudain se brouille comme si elle avait été effacée d'un revers de la main, par le souffle du vent, et qui lui donne l'impression subite d'avoir chaussé des lunettes sales. "Vous cherchez votre chemin ?", s'enquiert un étranger, fort aimable, qui pointe du doigt la carte qu'il tient dans les mains. "Vous êtes ici", murmure l'inconnu, du bout des lèvres.

Le passant venu en aide n'est autre que l'homme au complet gris, échappé d'un tableau de Bacon, qui a rattrapé l'homme au costume de Tergal bleu qui a marché tout ce temps en tournant le dos au but final, les yeux fixés vers son point de départ.

"Ai-je mal lu les annotations ?", s'enquiert-il auprès de l'autre.

"Que peut-on imaginer de plus absurde que la création des villes ?", lui rétorque ce dernier sans daigner se retourner.

Dans le ciel, une fumée noire au loin suggère l'incendie d'un laboratoire, d'une usine de pneus ou d'un dépôt de carburant.

Des avions sur le point d'atterrir volent de plus en plus bas.

Il y a quelque chose dans l'air qui évoque une catastrophe.

À l'hôpital Saint-Patrick, dans un couloir vitré, mal éclairé, décoré de fausses plantes, des gens normaux attendent pour des consultations banales (ablation des ovaires, inflammation des intestins, menue boule suspecte). Une infirmière de service en blouse blanche nommée Anne Samson s'active à côté d'un chariot chargé de seringues, d'éprouvettes et de draps crème pliés comme des nappes d'hôtel. Il paraît qu'il y a des êtres qui naissent sans bouche (astomie) et que, dans certains établissements publics, on récupère les placentas pour faire des produits de beauté.

— *Parfois, il vaut mieux être un chien qu'un être humain,* pense un petit homme trapu, assis dans un long couloir vide.

Silence d'or à l'hôpital vétérinaire.

Au service des urgences, les chiens se taisent.

On a scié leurs cordes vocales pour qu'ils ne geignent pas.

Les cadavres sont jetés dans un sac à la fosse commune.

Un peu partout, dans ce quartier sans âme, à l'emplacement inconnu, planté de taudis verticaux, des carcasses de poissons pourris, d'animaux morts, des déchets divers, des épluchures, des boîtes de conserve, des cartons d'emballage, des ordures de toutes sortes débordent des poubelles renversées, entrent par les façades trouées, dans les cages d'escaliers sombres.

— Parfois, on y trouve des choses insensées. Des fruits frais, des oignons, des choux de Bruxelles. Le savon, on le prend dans les poubelles. Dans celles des pizzerias, on rafle des pâtes. Je les pique, je les lave et les recuis un peu, dit un pauvre hère au front dégarni, flanqué de souliers trop grands, qui porte des gants troués, fuit tout contact et n'offre sa main à personne.

Personne ne sait qui il est ; si on le savait, que saurait-on ?

Sur une place semi-circulaire, à l'ombre d'une lourde bâtisse de briques rouges, au toit plat, un dingue en chemise débraillée et pantalon crevé assis sur un banc roule une cigarette.

— Cigarette ?

— Non, merci. Je ne peux pas m'arrêter. On me surveille.

Il y a toujours plus extraordinaire que l'extraordinaire.

Ville avec deux majuscules, NY est la ville par excellence.

Sur la même place, un type au visage paralysé du côté droit, suite à une probable congestion cérébrale, somnole ou médite, la tête appuyée sur l'avant-bras. Où donc a-t-il mal ? Pourquoi ? Et si c'était autre chose qu'une douleur physique ?

Un gros lard, vraiment très corpulent, urine entre deux pare-chocs. Le dingue débraillé tire une bouffée de cigarette. Le type au profil paralysé porte la main à la tête et s'effondre soudain.

— Il n'a pas l'air de souffrir, maugrée le dingue qui fume.

L'homme au complet gris, sorti du tableau de Bacon, dépasse l'obèse qui finit d'uriner, frôle celui qui était assis et demeure figé dans un équilibre total, évite celui qui fume et s'approche en douce d'un quatrième lascar à l'écart qui saigne du nez.

Celui-ci le repousse en hurlant :

— N'approchez pas. Allez-vous en. Je suis tel un hémophile. Je ne veux pas qu'on m'égratigne et que je perde mon sang.

Puis, il se lance dans une suite d'interrogations sans réponse :

"Où est la vérité ? Qu'est-ce que la turbulence ? Le pire est-il sûr ? Combien dure le temps de la pensée ? Où est l'intelligence ? Quelle est la racine carrée de –1 ? De quelle matière est le temps ? Quelle est la substance du soleil ? Qu'y a-t-il derrière l'horizon ? Comment se forme le goût ? Qu'est-ce qu'un péricarde ? Quand débute la chute libre ? Quelle est la formule de la conscience ? D'où vient la pensée ? Y a-t-il égalité dans le sommeil ? L'inconscient est-il courbe ? Qui êtes-vous ?"

Les faits s'usent.

Le réel se consume.

Entre celui qu'on paraît en premier, ceux qui n'ont fait que passer, et celui qu'on a vu en dernier, ce qui compte, c'est qu'on les ait autant que possible tous présents à l'esprit.

L'important réside dans le déroulement du périple.

La femme, au huitième étage, a vidé la bouteille de whisky.
La femme, en robe de chambre, a fermé les rideaux.
La femme aux cauchemars est retournée se coucher.
La femme au journal ouvert a rangé le doigt coupé.

À quoi pense-t-elle ?

PATRICK ROEGIERS

Saint-Maur, 1er juillet 2002

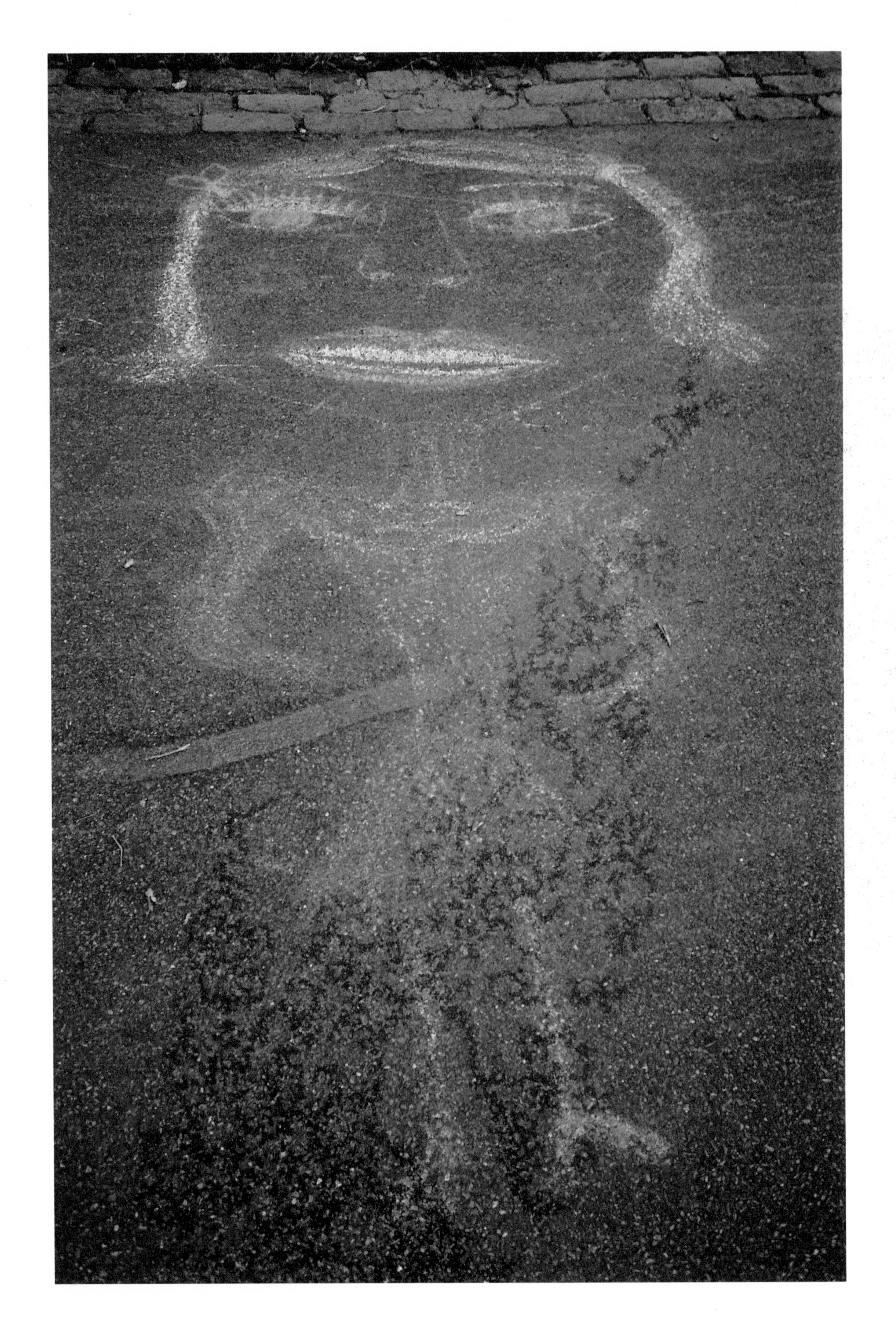

BILL SAXTON
QUARTETT

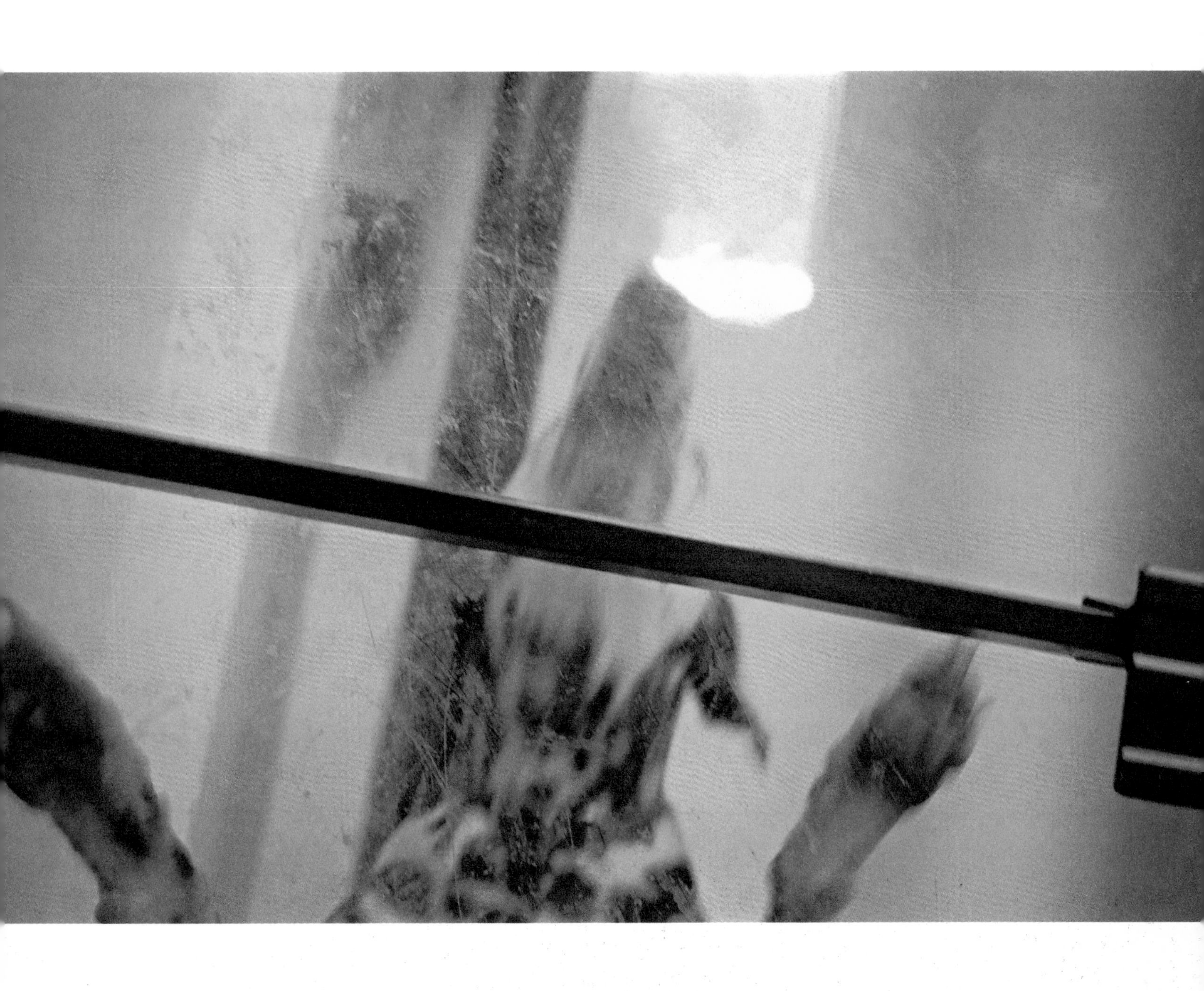

All whit

DADDY HOME
BUCK MOTEL
SUPERMARKET
MCM

HAPPY PEOPLE
IS WHAT KIDS ARE
THE WORLD WOULD BE
BETTER.... IF WE WANTED
HI MOM!
FREE
TODAY
CONCERT

JUICE

IL CUORE
DELL'OPPOSIZIONE
PARTITO COMUNISTA
VOTA
COMUNISTA
STOP

NEW YORK
NEW YORK
NEW YORK
NEW YORK
NEW YORK
NEW YORK
NEW YORK
NEW YORK
NEW YORK
NEW YORK
NEW YORK
NEW YORK

OVG 582

We support

MAXIMA
Z16 6YD

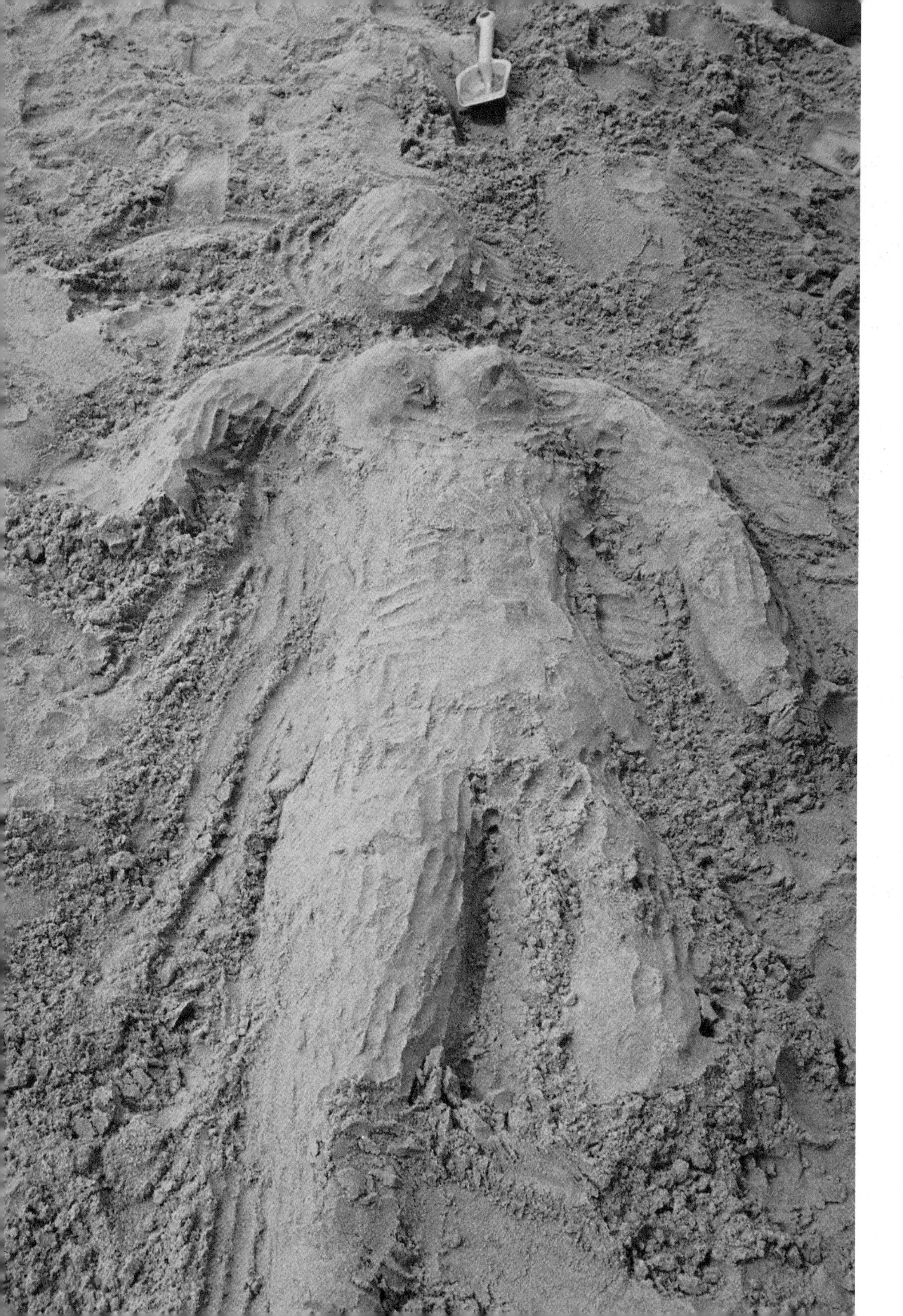

Eldorado
ARCADE
ELDORADO

River Dr

PENN PLAZA
SALAD BAR

DFA
FOR All HoeS

NOTICE

LAND

SUBWAY

ATTIAS

DO NOT
ENTER

EXIT

RALPH

DANG
HIGH VOL
KEEP O
ORIGINAL

DANGER
HIGH VOLTAGE
KEEP OUT

PARK
CAUTION

EXIT

NO
THRU
TRAFFIC

IN
MEMORY
OF
CHARLIE
MOUSE

ASTROLAND
CYCLONE
HOT 97
WHERE HIP HOP LIVES

ST.

FOR SALE
TEL.
Best
Offer
400
call
JACKIE

Simpson Street

COWBOYS

Mobil

P.S. 247
EXIT

EAST HARLEM premiere
NO EXIT

456

K

PIZZERIA
LET
KILLING
DEATH!!!
AIDS

TAROT
$5

Avec le soutien de la Fondation NSM Vie (Paris) et de la Galerie Serge Aboukrat
Je remercie particulièrement Simon Guibert pour sa fidèle amitié
Je remercie : Serge Aboukrat, Anne Samson, Patrick Roegiers, Bernard Prévot,
Yves-Marie Marchand, Maude Prangey, Eric Cez, Michel et Jean-François Fresson,
Anne Marie Schmid et Jean-Luc Pons, Cécile Garrigue, Lou Siroy
Toutes les photographies ont été réalisées entre 1993 et 2000 grâce à mes amies
Marisela et Laura qui m'ont hébergé lors de tous mes séjours à New York
Conception et réalisation graphique Francis Dumas
Photogravure et impression Musumeci, Val d'Aoste, Italie, Achevé d'imprimer en septembre 2002